Traduit de l'anglais par Isabelle Reinharez

Titre original : « Osbert and Lucy » (Hutchinson, Londres)
Loi numéro 49956 du 16 juillet 1949 sur les publications
destinées à la jeunesse : février 1991
Dépôt légal : février 1991
Imprimé en France par Mame Imprimeur à Tours

Ronald Ferns

ROBERT

ET

LUCIE

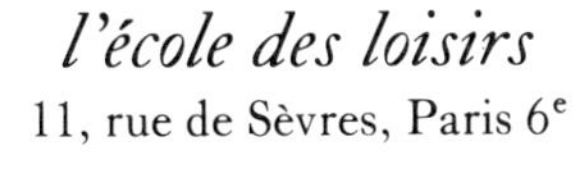

l'école des loisirs
11, rue de Sèvres, Paris 6^e

Quelque part, dans une petite ville, il y avait une maison. M. et Mme Bonhomme y habitaient avec leur chien, Robert Bonhomme. Dans le jardin, derrière la maison, il y avait un petit clapier où vivait un lapin blanc, qui s'appelait Lucie.

Robert et Lucie s'entendaient bien.

Robert Bonhomme était un gentil chien, mais il avait un défaut: il écoutait aux portes. Un soir, il surprit trois mots qui l'inquiétèrent beaucoup. C'était:
«délicieux»,
«lapin», et
«dîner».
Ça ne pouvait vouloir dire qu'une seule chose! Non! Ils n'avaient pas le droit de manger son amie Lucie.

Robert fila au jardin raconter à Lucie ce qu'il venait d'entendre. L'idée de servir de dîner à M. et Mme Bonhomme n'emballait pas Lucie. Mais Robert avait un plan. Ils allaient s'enfuir ensemble.

En pleine nuit, Robert vint ouvrir la porte du clapier de Lucie qui sauta dehors, munie de trois feuilles de salade dans un petit sac. Robert emportait un os et un parapluie.

Ils se mirent en route. Robert avait beau marcher lentement, Lucie devait faire des bonds pour le suivre.

La pluie tombait à grosses gouttes, et faisait des flaques sur le trottoir. « Oh, qu'allons-nous faire ? Et où aller ? » gémit Lucie. « Ne t'en fais pas. L'essentiel, c'est que nous restions ensemble », dit Robert.

Ils arrivèrent bientôt devant une maison vide. Dehors une pancarte disait : «À VENDRE».
«Abritons-nous ici un moment», proposa Robert.

Il secoua les gouttes de son parapluie pendant que Lucie tenait les deux sacs.

Lucie s'appuya contre la porte, qui s'ouvrit doucement. Prudemment, les deux amis se glissèrent à l'intérieur. Puis, s'enhardissant, ils grimpèrent l'escalier.

« Personne ne nous trouvera ici », dit Lucie, qui commençait à se sentir mieux. Ils étaient tous les deux épuisés et morts de faim. Lucie grignota ses feuilles de salade et Robert rongea son os. Après quoi, ils s'endormirent.

Le soleil du petit matin filtrant à travers les vitres sales les réveilla. Robert et Lucie se mirent à la fenêtre. Et voici ce qu'ils virent :

Il y avait un joli jardin avec des massifs de fleurs.
Il y avait un potager.
Il y avait des arbres fruitiers.
Et, au-delà du portail, il y avait une forêt touffue.

Ils se précipitèrent au rez-de-chaussée. La porte de derrière était fermée, mais dans sa partie basse ils découvrirent une chattière. Lucie s'y faufila sans peine. Robert eut quelques difficultés, mais il se tassa, grogna, poussa, souffla, et, finalement, il se retrouva dehors.

«Oh, que c'est joli!» s'écria Lucie, en regardant le jardin autour d'elle.
Sans plus attendre, elle s'offrit un délicieux petit déjeuner composé de tendres feuilles de salade et de carottes nouvelles.
Le pauvre Robert errait à la recherche de quelque chose à manger. Si seulement il avait été végétarien, lui aussi!

Il aperçut un paquet près du mur. Dedans, il y avait des sandwiches: au pâté, au fromage et à la confiture. Il avait si faim, et il était si pressé de manger, qu'il laissa presque tout tomber.

Les oiseaux des arbres s'abattirent sur le pain. Des fourmis sortirent des fissures de l'allée et emportèrent les miettes à la confiture pour les manger chez elles.
En un instant, tout avait disparu.

Le temps passa. Lucie semblait se plaire beaucoup dans ce jardin plein de carottes et de feuilles de salade. Mais le pauvre Robert n'avait toujours rien à se mettre sous la dent.

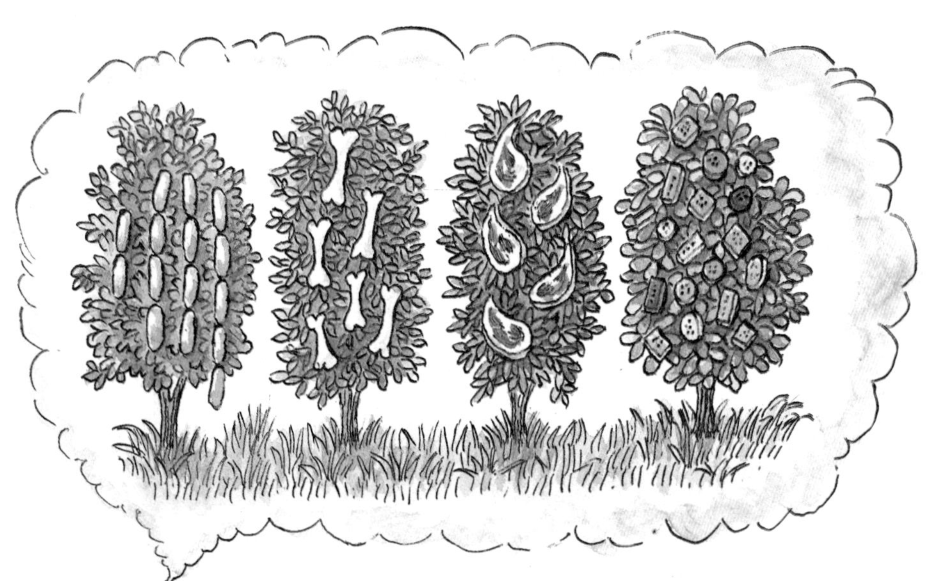

Assis dans un coin, il se disait : «Ah, si les saucisses, les os, les côtelettes d'agneau et les biscuits poussaient aux arbres!» Hélas! ce n'était pas le cas.

Robert pensait à sa maison douillette, à ses repas réguliers et à son panier. Puis il pensa à sa balle préférée et à sa collection de jouets couineurs. De grosses, grosses larmes roulèrent le long de son museau. « Les lapins peuvent vivre en liberté », songea-t-il tristement. « Mais les chiens ont besoin d'une maison, et d'un os, et d'un panier chaud et sec. »

Il alla retrouver Lucie. Elle était main dans la main avec un autre lapin. «C'est Luc», expliqua-t-elle. «Il est venu de la forêt où il habite. Il m'a demandée en mariage, et j'ai bien envie d'accepter. Mais toi, Robert, que vas-tu faire?»

«Mes félicitations!» dit Robert. «Je vous souhaite beaucoup de bonheur. Surtout ne vous inquiétez pas pour moi. Je vais rentrer à la maison. Après tout, je ne crois pas que, *moi*, ils me mangeront pour le dîner.»

Alors Luc et Lucie se marièrent.

Quand Robert fut de retour à la maison, M. et Mme Bonhomme se réjouirent de le revoir.

«Bravo, Robert, tu as retrouvé notre parapluie», dirent-ils. «Quel dommage que tu
ne nous ramènes pas aussi Lucie.»

Plus tard, ce même jour, Robert Bonhomme, écoutant de nouveau aux portes, surprit ces mots :

«délicieux», «dîner», et

«maintenant, la gelée.»

Mme Bonhomme sortit de la cuisine avec, sur un plat, un gros lapin en gelée rose tremblotante! Robert se sentit tout bête. Ainsi, ce n'était pas Lucie qu'ils avaient eu l'intention de manger. Pourtant, mieux valait ne pas avoir couru le risque, car...

… maintenant il pouvait aller rendre visite à Luc et Lucie dans la forêt. Ils ont une famille très nombreuse, pleine d'enfants, de petits-enfants et de plusieurs arrière-petits-enfants.

Et Robert sait que même si, lui, il préfère sa maison, son os et son panier sec, Lucie est beaucoup mieux là où elle est.